LER FAZ A CABEÇA
TEXTOS BRASILEIROS

Dados de Catalogação na Publicação (CIP) Internacional
(Câmara Brasileira do Livro, SP, Brasil)

Voos, Eliana Callil.
  Ler faz a cabeça : textos brasileiros / Eliana
Callil Voos, Lutz Rohrmann. -- São Paulo : EPU,
1990.

  Bibliografia.
  ISBN 85-12-54100-8 (v. 1). -- ISBN 85-12-54110-5
(v. 2). -- ISBN 85-12-54120-2 (v.3).

  1. Português - Estudo e ensino - Estudantes
estrangeiros I. Rohrmann, Lutz. II. Título.

90-0784   CDD-469.824

Índices para catálago sistemático:

1. Português : Livros-texto para estrangeiros 469.824
2. Português para estrangeiros 469.824

LER FAZ A CABEÇA

TEXTOS BRASILEIROS

O homem que se evadiu
Dinah S. de Queiroz

O mágico
Luís Fernando Veríssimo

O fantasma
Luiz Vilela

O cantor das matas
Lendas e mitos do Brasil

O caapora
Herberto Sales

O poder do caipora
Lendas e mitos do Brasil

Aritakê
José J. Veiga

E.P.U. **EDITORA PEDAGÓGICA E UNIVERSITÁRIA LTDA.**

Eliana Callil Voos, licenciada em Língua Portuguesa,Literatura Brasileira e Portuguesa, e bacharel em Ciências Sociais pela Universidade de São Paulo. Professora de Português para Estrangeiros desde 1975.

Lutz Rohrmann é professor de línguas e trabalha como organizador de métodos de inglês para estrangeiros. Coordenador de "Sprachbrücke Brasilien" (curso de alemão para brasileiros) e de projetos de Português para Estrangeiros.

Ornaldo Fleitas é produtor gráfico, diagramador e ilustrador.

ISBN 85-12-54120-2

© E.P.U. — Editora Pedagógica e Universitária Ltda., São Paulo, 1990. Todos os direitos reservados. A reprodução desta obra, no todo ou em parte, por qualquer meio, sem autorização expressa da Editora, sujeitará o infrator, nos termos da Lei n.º 6.895, de 17-12-1980, à penalidade prevista nos artigos 184 e 186 do Código Penal, a saber: reclusão de um a quatro anos.
E.P.U. — Praça Dom José Gaspar, 106 (Galeria Metrópole) — 3.ª sobreloja, n.º 15 — 01047 — Caixa Postal 7509 — 01051 — São Paulo — Brasil — Tel. (011) 259-9222
Impresso no Brasil   Printed in Brazil

Apresentação

A melhor forma de verificar o grau de aprendizagem de uma língua estrangeira é pôr em prática os conhecimentos adquiridos.

LER FAZ A CABEÇA

é uma série de "textos brasileiros" autênticos, ordenados em grau crescente de dificuldade lingüística.

Nestes livros/cadernos o estudante do Português (do Brasil) encontra textos de escritores brasileiros que contam em linguagem moderna a vida do Brasil rural, do Brasil das grandes metrópoles, do Brasil das florestas tropicais.

Através destes textos o leitor pode formar uma visão da cultura e do folclore, do espírito do povo e dos problemas sociais do Brasil, e suas origens históricas e condicionamentos geográficos.

Antes de iniciar os vários exercícios (de aprofundamento gramatical) são colocadas tarefas de compreensão do conteúdo do texto de cada estória. A seguir — e partindo do texto — são apresentados

— exercícios gramaticais
— atividades para ampliação do vocabulário
— regras para a formação de palavras novas
— sugestões para a discussão de temas controversos (ecologia, transformação social, racismo, etc.)
— jogos de (com) palavras cruzadas
— e muitos outros.

O vocabulário que excede os conhecimentos básicos pressupostos é explicado em notas de rodapé ou através de desenhos marginais.

As *Respostas* de *todos* os exercícios se encontram no final de cada história/conto/capítulo.
Breves bio-bibliografias dos autores dos textos são colocadas no apêndice, completando o volume.

Sumário

O homem que se evadiu (Dinah S. de Queiroz)... 1
Exercícios 5
Respostas... 8

O mágico (Luís Fernando Veríssimo) 11
Exercícios 16
Respostas... 19

O fantasma (Luiz Vilela)................................ 21
Exercícios 27
Respostas... 30

O cantor das matas (lendas e mitos do Brasil) 36
Exercícios 36
Respostas... 38

O caapora (Herberto Sales) 41
Exercícios 47
Respostas... 49

O poder da caipora (lendas e mitos do Brasil) 51
Exercícios 55
Respostas... 58

Aritakê (José J. Veiga)................................ 59
Exercícios 64
Respostas... 68

Biografias 69
Referências Bibliográficas 81

O homem que se evadiu

1. Quais destes quadros acompanham o texto?
a) ☐ O homem na boate dormindo
b) ☐ O mesmo homem entrando no avião
c) ☐ Mulher e homem brigando

O homem que se evadiu

Ele costumava olhar a cidade como quem passa de trem, e não pode possuir a paisagem. Que belas mulheres, que admiráveis lugares de diversões, e que restaurantes... e que bebidas! Feliz era o turista que chupava a cidade por um canudo. Mas ele — ele era o seu escravo! De casa para o trabalho, do trabalho para casa. Quando chegava o dia de folga — a mulher, que estava dia a dia ficando mais feia e ácida, se agarrava com ele. Ela era quem escolhia o cinema ou a visita.

Numa segunda-feira, em que o homem sentia a vida como um nó na garganta, um companheiro de trabalho lhe deu certa notícia.

— Sabe? O chefe vai mandar-me a Buenos Aires por quinze dias!

— Mas você é um homem de sorte! Eu que sempre quis conhecer aquela terra!

A viagem do colega a Buenos Aires deu ao nosso conhecido um complexo, o da liberdade! A inveja nele doía. E então, pediu ao felizardo:

— Tive uma idéia. Vou tomar férias. E como não tenho dinheiro para viajar... fico por aqui mesmo. Mas quero que minha mulher pense que estou fora. Meu amigo — eu vou é me acabar! Vou me divertir para o resto da minha vida. Você vai para Buenos Aires, mas a gente rica de lá vem passear aqui. Quer dizer que isto é bom. O de que se precisa é liberdade, para *gozar*[1] o Rio.

Como o amigo concordasse com sua fantasia — o carioca que queria gozar o Rio como turista disse à mulher:

---

1. desfrutar, aproveitar

— Meu bem, tenho uma novidade para contar. O che-
30 fe me *despachou*[2] para Buenos Aires por duas semanas!
Vou ter muitas saudades de você. Nós que não nos sepa-
ramos nunca!

E ele não quis que a mulher o acompanhasse ao
Aeroporto:

35   — Vou ficar muito emocionado!

Nesse dia, em que deveria embarcar, ele madrugou e
foi levar o amigo entregando-lhe meia dúzia de telegramas que deveria passar.

E caiu na *orgia*[3]. À noite, depois de um dia de com-
40 panhia alegre, de passeio de lancha, de teatro ao lado de
uma loura, à noite, lá pelas onze horas, uns conhecidos
que chegavam a uma boate deram com nosso personan-
gem num pileque terrível. Daí a meia hora estava dormindo sobre a mesa: ninguém sabia que ele tomara um
45 quarto em hotel... nem conhecia sua trama inventada.
Os amigos, penalizados, o puseram num automóvel, e,
sabendo do seu endereço, o deixaram em casa, onde a
mulher o recebeu com espanto que se transformou em
cólera tremenda. Quando, de manhãzinha, o homem
50 acordou em seu quarto — mediu toda a extensão da sua...
desgraça:

— Meu bem, os amigos, lá no aeroporto... O avião
atrasara quatro horas... me deram uma festinha de despedida... e eu perdi a hora.... Mas não foi minha culpa.
55 Você me perdoe. Isso aconteceu, porque eu não tenho
hábito dessas coisas... Mas eu me arranjarei com o chefe... Até foi bom. Ele manda outro funcionário, e eu não
me separo mais da minha mulherzinha.

---

2. mandou, enviou
3. farra, bagunça

4

A senhora estava furiosa! Foi preciso muito juramento e muita declaração de amor para que amansasse um pouquinho. À tarde, quando estava querendo fazer as pazes tocou a campainha da porta. Era um telegrama. Ela o abriu:

"Viagem ótima. Morrendo saudades querida mulherzinha."

Foi a tempestade. A senhora arrumou a bagagem. Ia para a casa do pai, pois não era uma abandonada. O marido se *arrojou*[4] ao chão, inventou histórias, disse que se mataria. Ela ficou. Mas quando se recolhiam ao quarto de pazes feitas, chegou novo telegrama:

"Buenos Aires sem ti não vale nada."

E os quinze dias do homem que quis quebrar sua rotina foram tremendos. Mesmo porque o amigo que levara os telegramas mudara de hotel, em Buenos Aires, e se desincubiu religiosamente da sua missão. O último despacho que mandou foi assim:

"Volto amanhã teus braços." E estava gentilmente assinado: "Maridinho".

DINAH S. DE QUEIROZ

 EXERCÍCIOS

2. Leia o texto e responda:
a) Como o homem estava vendo sua cidade?
b) Que idéia ele teve quando o amigo lhe contou que ia viajar?
c) O que ele fez no dia que deveria embarcar?
d) Que desculpa ele deu para a mulher?
e) O que aconteceu à tarde quando eles já tinham quase feito as pazes?

---

4. jogou, atirou

5

3. Relacione o quadro do meio com duas expressões similares, depois tente substituir no texto.

bêbedo	de folga	brava
com surpresa	deram com	de fogo
mania	de pileque	de descanso
livre	penalizados	encontraram
		inesperadamente
depararam	com espanto	costume
com pena	furiosa	com susto
nervosa	hábito	com dó

4. Complete com a preposição correta (de, para, em, com, a, por).

Siga o modelo:

> Não tenho o hábito _dessas_ coisas.

a) O homem ia _____ casa _____ o trabalho.

b) O amigo dele ia _____ Buenos Aires.

c) O homem disse que tinha muitas saudades_____

_____ (a) mulher.

d) Os amigos o puseram _____ (o) automóvel.

e) O homem foi _____ o amigo _____ o aeroporto.

f) O homem não estava acostumado _____ passear

_____ (a) cidade.

g) O amigo dele mudou _____ hotel _____ Buenos Aires.

5. Siga o modelo: (uma linha para cada resposta)

> Foi necessária muita declaração de amor para que amansasse.
> Foi necessária muita declaração de amor para amansar.

a) O homem preparou tudo para que pudesse quebrar a rotina

_____

b) O chefe vai mandar o amigo a Buenos Aires para que faça um trabalho

_____

c) Ele mentiu para que a mulher pensasse que ela estava viajando

_____

d) O homem explicou tudo para que o amigo concordasse com a fantasia dele

_____

e) Ele falou muito para que a mulher se acalmasse

_____

6. Passe para o presente. Siga o modelo:

> Não quis que a mulher o *acompanhasse*.
> Não quer que a mulher o *acompanhe*.

a) Foi preciso muito juramento para que amansasse um pouquinho

_____

b) Ele esperava que a mulher não descobrisse o plano

_____

c) Foi difícil que a mulher acreditasse nas histórias dele

_____

7

d) O homem esperou que o amigo o ajudasse

_____

e) O homem queria que a mulher lhe desse mais liberdade

_____

 RESPOSTAS

1. a), c)
2. a) Ele olhava a cidade como quem passa de trem, superficialmente.
   b) Ele teve a idéia de tirar férias e ficar no Rio de Janeiro mesmo.
   c) Ele acordou cedo e foi levar o amigo ao aeroporto, entregando-lhe meia dúzia de telegramas. Depois, caiu na farra, passeou de lancha, foi ao teatro ao lado de uma loura. À noite, conhecidos o encontraram bêbedo em uma boate.
   d) Ele disse que o avião tinha atrasado, os amigos lhe deram uma festinha de despedida e ele perdeu a hora.
   e) Chegou um dos telegramas que o amigo enviou de Buenos Aires, dizendo que ele havia chegado bem.
3. deram com = depararam, encontraram inesperadamente.
   de pileque = bêbedo, de fogo.
   penalizados = com pena, com dó.
   com espanto = com surpresa, com susto.
   furiosa = nervosa, brava.
   hábito = mania, costume.
4. a) de, para   b) a (para)   c) da
   d) no   e) com, a (para)   f) a, pela
   g) de, em

5. a) ... para poder quebrar a rotina.
   b) ... para fazer um trabalho.
   c) ... para a mulher pensar que estava viajando.
   d) ... para o amigo concordar com a fantasia dele.
   e) ... para a mulher se acalmar.

6. a) É preciso muito juramento para que amanse um pouquinho.
   b) Ele espera que a mulher não descubra o plano.
   c) É difícil que a mulher acredite nas fantasias dele.
   d) O homem espera que o amigo o ajude.
   e) O homem quer que a mulher lhe dê mais liberdade.

2

O mágico

1. Leia o texto e coloque os quadrinhos na ordem certa:

- ☐ Mágico trabalha como vendedor
- ☐ Mágico consegue transformar Marialva em pomba
- ☐ Mágico transforma as pombas em mulheres
- ☐ Mágico como Maitre garrafa de confete
- ☐ Mágico no palco
- ☐ Mágico consegue transformar uma pomba em mulher
- ☐ Mágico como carteiro

O mágico

Chegara o grande momento. O mágico caminhou até a beira[1] do palco. Sua assistente Marialva, de maiô prateado, abriu os braços e com gestos graciosos parecia oferecer o mágico ao seu público. O mágico falou:

— Senhoras e senhores, para terminar minha apresen- 5 tação desta noite, tentarei realizar um truque jamais tentado em toda a história da mágica. Um truque que revolucionará todas as leis da Física. Pela primeira vez num palco, sem o uso de espelhos, alçapões[2], fundos falsos, projeções, hipnotismo, encanto ou milagre, uma mulher 10 será transformada num pássaro. Sim, com um simples toque de minha varinha, transformarei minha gentil companheira numa pomba branca...

Murmúrios da platéia. Marialva sorria. O mágico ergueu sua varinha e aproximou-se da assistente. Tocou seus 15 cabelos salpicados de contas com a ponta da varinha. Nada aconteceu. Tentou outra vez. Nada. Ainda estava tentando quando o pano fechou sob as vaias[3] da platéia.

O mágico abandonou a mágica. Foi ser carteiro. Não durou muito na nova profissão. Batia nas casas e dizia 20 para o destinatário que abrisse a porta:

— Escolha uma carta, qualquer carta...

Trabalhou como *maitre* num restaurante. Novo fracasso. Quando virava a garrafa, saía confete no copo. Quando tirava a tampa da travessa, em vez de filé, apa- 25 recia uma pomba viva que saía voando pelo salão. As pessoas não entendiam. Protestavam. Para acalmá-los, o mágico tirava um ovo da boca. Escândalo no restaurante. O mágico foi despedido.

---

1. ponta
2. abertura que comunica um pavimento com outro inferior.
3. gritos de desagrado

30   No quarto alugado que ocupava com 17 baús, argolas, lenços coloridos, alguns coelhos e seis pombas brancas, o mágico e Marialva discutiam.

— Tente outra vez — insistia Marialva — Você vai con-
seguir me transformar numa pomba. Tente!
35   — Sou um fracassado.

— Você não pode desistir!

—Se não posso ser o maior mágico do mundo, não quero ser mágico nenhum.

— Você é o maior mágico do mundo.
40   — Se fosse não teria falhado.

— Tente outra vez!

Um dia o mágico conseguira fazer o contrário. Transformar uma das pombas brancas numa mulher. Uma mo-
rena de maiô dourado, chamada Dagmar.
45   Mas Marialva batera o pé e insistira para que ele desfizesse o truque.

Ele foi ser vendedor de roupa para homens. Não sabia o que dizer. Quando mostrava o paletó para o cliente, dizia:
50   — Nada nesta manga, nada na outra...

O cliente não entendia. Não comprava. Foi despedido.

No quarto alugado, Marialva, de maiô prateado,
insistia:

— Tenta de novo. Pega a varinha e tenta.
55   Um dia a senhoria, que morava no andar de baixo, ouviu um grito do mágico. Um grito estranho de surpresa
e orgulho profissional. A senhoria subiu e olhou pelo bu-
raco da fechadura. Viu o mágico com sua varinha na mão
e uma pomba que voava sozinha por dentro do quarto.
60 Não viu Marialva.

A senhoria desconfiava do mágico desde o dia em que
o surpreendeu subindo a escada com uma serra. Chamou
a polícia.

Quando o mágico abriu a porta para o inspetor, estava com uma pistola na mão. O inspetor recuou e gritou. 65
— Não atire!
Com surpresa o mágico puxou o gatilho e um buquê de flores saltou da ponta do cano. Isto indispôs o mágico com a polícia, que desconfiou da sutileza. O inspetor começou a fazer perguntas. Detrás do inspetor a senho- 70 ria olhava com desdém⁴. Quantas vezes já o mandara livrar-se dos coelhos e das seis pombas? O inspetor começou a fazer perguntas. Onde estava sua companheira?
— O senhor não vai acreditar, inspetor mas... Não sente aí! 75
O inspetor sentara numa cadeira de fundo falso e desaparecera por completo. Em seguida ouviram gritos de dentro de um baú do outro lado do quarto. O mágico abriu o baú e o inspetor apareceu, furioso. 80
— Não faça mais isso!
— Pergunte pela serra — sugeriu a senhoria.
— E a serra? — perguntou o inspetor.
— A serra? Ora, era para serrar minha assistente ao meio e...
Na delegacia, o mágico não conseguiu explicar nada. 85 O inspetor deu ordens para que procurassem os dois pedaços de Marialva. Nada foi encontrado. Depois de passar alguns dias na cadeia — onde se tornou popular entre os presos pelo seu hábito de tirar cigarros acesos detrás de suas orelhas — foi posto em liberdade por falta 90 de provas.
Correu para o quarto alugado.
Encontrou os 17 baús, as argolas, os lenços coloridos, mas não encontrou os coelhos e as pombas brancas. A

---

4. desprezo

15

95 senhoria disse, triunfante, que se livrara dos bichos
soltando-os na rua. De todos. Dos coelhos e das sete pombas brancas.

O mágico tentou o suicídio, mas a lâmina do seu pu-
nhal falso entrou no cabo e não na sua barriga. Tentou
100 enforcar-se, mas o nó se desfez sozinho. Hoje ele anda
pela cidade com sua varinha, correndo atrás de pombas
para tocá-las. Quando consegue, as pombas se transfor-
mam em mulheres de maiô lamê, xadrez, rendado, es-
tampado, mas nenhum prateado. As praças ficam cheias
105 de assistentes de mágico, com suas meias rendadas e os
cabelos salpicados de contas, mas nenhuma é Marialva.

Outra história de amor arruinado[5] pela vaidade.

Luís Fernando Veríssimo

 EXERCÍCIOS

2. Responda:
a) O que o mágico queria realizar?

_____

_____

b) Como reagiu a platéia?

_____

_____

c) O que o mágico fez depois do fracasso?

_____

_____

---

5. prejudicado, estragado

d) Como ele se saiu nas outras ocupações?

_____

_____

e) Qual foi a mágica que contrariou Marialva?

_____

_____

f) Por que o mágico foi preso?

_____

_____

g) Por que o mágico foi posto em liberdade?

_____

_____

3) Siga o modelo:

> O Mágico foi despedido
> Despediram o mágico

a) O mágico foi vaiado.

_____

b) O mágico foi preso.

_____

c) O grito do mágico foi ouvido.

_____

d) A porta foi aberta.

_____

e) Nada foi encontrado.

_____

4) Siga o modelo:

> *Chegara* o grande momento
> Tinha chegado o grande momento

a) Marialva *batera* o pé e *insistira* para que ele desfizesse a mágica.

_____

_____

b) A senhora desconfiou desde que o *surpreendera* com uma serra.

_____

_____

c) O inspetor *sentara* numa cadeira de fundo falso e *desaparecera*

_____

_____

d) A senhora disse, triunfante, que se *livrara* dos bichos

_____

_____

5) Passe para o discurso indireto:

a) O mágico dizia:
   "Escolha uma carta"

> O mágico dizia que escolhesse uma carta.
> O mágico dizia para escolher uma carta.

b) Marialva insistia. "Tente outra vez"

_____

_____

18

c) O inspetor gritou:
   "Não atire"

_____

_____

d) O inspetor apareceu furioso e disse:
   "Não faça mais isso"

_____

_____

e) A senhora sugeriu: "Pergunte pela serra"

_____

_____

 RESPOSTAS

1. (5-6-7-3-1-4-2)
2. a) O mágico queria transformar sua assistente Marialva em pomba.
   b) Primeiro houve muitos murmúrios na platéia, depois vaiaram o mágico.
   c) O mágico abandonou a mágica.
   d) O mágico sempre usava os conhecimentos de mágica nas outras profissões.
   e) O mágico transformou uma pomba em assistente de mágico.
   f) Porque a senhora desconfiou que ele tivesse matado Marialva.
   g) Por falta de provas

3. a) Vaiaram o mágico
   b) Prenderam o mágico
   c) Ouviram o grito de mágico
   d) Abriram a porta
   e) Não encontraram nada.

4. a) tinha batido, tinha insistido
   b) tinha surpreendido
   c) tinha sentado, tinha desaparecido
   d) tinha se livrado

5. b) Marialva insistia que tentasse outra vez.
                   para tentar outra vez.
   c) O inspetor gritou que não atirasse.
                   para não atirar.
   d) O inspetor apareceu furioso e disse que não fizesse mais
      aquilo
                               para não fazer mais
                               aquilo
   e) A senhora sugeriu que perguntasse pela serra.
                   para perguntar pela serra.

3

O fantasma

3

1. Leia o texto e responda:
   Por que homens não têm mais medo de fantasmas?

O fantasma

— Já o conheço. O senhor é o fantasma decapitado[1], não é? Muito prazer.
— Muito prazer?
Ele levou tanto susto que sua cabeça caiu no chão. Catou[1]-a, tornando a pô-la no pescoço.   5
— Já ouvi falar muito do senhor — eu disse.
— O quê? Você não está com medo?
— Medo?
— Medo de mim.
— Absolutamente. Até pelo contrário: tenho muito 10 prazer em conhecê-lo.
— Não é possível.
Ele sentou. Era bastante transparente e eu podia ver, apesar da semi-escuridão, as coisas que estavam detrás dele. Sentei-me também, pingando um pouco de cera na 15 mesa e firmando a vela. Lá fora, a chuva continuava firme.
Com efeito — disse ele. Mas me diga, se não o aborreço[3]: você não está mesmo com medo?
— Não.   20
— Nem um pouquinho?
— Nem um pouquinho.
— Ainda não posso acreditar.
— Quem tem medo de fantasma hoje em dia? — falei, mas, percebendo que fora indelicado, pedi-lhe 25 desculpas.
— Você tinha medo de mim quando era pequeno... — ele disse num sorriso triste.

---

1. sem cabeça
2. pegou
3. incômodo

Ficamos um pedaço[4] em silêncio. Depois ele começou
30 a me falar de sua vida. Disse que há anos não saía dali
e que ficara muito alegre quando me vira chegando. Até
já esquecera como se assombrava uma pessoa: talvez por
isso não conseguira me assombrar[5]. Falei que não. Talvez já tivesse virado um fantasma gagá[6], falei para ele
35 deixar de besteira, ainda era um fantasma muito bom.
— É horrível um fantasma gagá — falou.
Perguntou-me como iam as coisas no mundo.
— Como sempre. O senhor decerto já sabe que brevemente vão mandar um homem à Lua...
40 — À Lua?
Sua cabeça tornou a cair no chão.
— Não pode ser!
— É verdade — falei sem compreender por que ele ficara tão chocado com a notícia.
45 — É o fim... É o fim! — murmurou desconsoladamen-
te[7], ajeitando a cabeça no pescoço. — E agora, como
que nós, os fantasmas, vamos assombrar com a Lua?
Eu não sabia o que dizer.
— Era tão bom assombrar com a Lua... — ele suspirou.
50 Estava com o maço de cigarros no bolso do pijama e
ofereci um a ele.
— Obrigado, não fumo.
— Nem um só, pra distrair?
— Não, obrigado. Cigarro dá câncer.
55 Como que se esforçando para manter uma conversa,
perguntou-me se já haviam descoberto a cura do câncer.
— Sempre falam que descobriram, mas parece que não
descobriram ainda. Se empregassem nas pesquisas sobre

---

4. pouco
5. assustar
6. muito velho
7. tristemente

24

o câncer o dinheiro que empregam na fabricação de bombas, talvez já tivessem descoberto. 60
— Bombas? Que bombas?
— As bombas, uai, as bombas que eles fazem todo dia, os Estados Unidos, a Rússia, a França, a China, bomba de hidrogênio, de cobalto, de nem sei mais o quê: o senhor não sabia? 65
— Meu Deus, meu Deus — disse tirando a cabeça e cobrindo-a no peito com as duas mãos.
— E as guerras? — eu falei.
— Não! — ele disse. — Não quero mais saber disso, por favor, não me fale mais disso. 70
Foi uma coisa estranha então como ele começou a tremer, a ponto de fazer barulho na cadeira.
Perguntei que que estava havendo com ele: com voz trêmula ele respondeu que era medo.
— Medo? 75
Quase dei uma risada.
— Mas medo de quê? — perguntei.
— Medo de vocês homens.
Era o fim: um fantasma ter medo de gente!
— Não é possível — eu falei. 80
Mas era medo mesmo. Ele continuava a tremer. Só depois de algum tempo é que se acalmou.
Comecei a achar incômodo[8] aquele negócio de conversar com ele sem ver sua cabeça, que ele continuava segurando no peito, coberta pelas mãos. 85
— Será que o senhor não podia tornar a pôr a cabeça?
— falei. — Acho meio esquisito conversar assim.
— Não posso — disse com voz trêmula. — Eu morreria de medo. Não posso mais ver um homem. Por favor, é a última vez que apareço no mundo... 90

_____

8. embaraçoso, aborrecido

— Está bem — falei, — não tem importância.

Era desagradável saber que ele estava com medo de mim.

⁹⁵ — É só mais um minuto, só para eu saber uma última coisa.

— Não tem importância — falei. — Que que o senhor deseja saber?

— Crianças: elas ainda existem?

Falei que sim.

¹⁰⁵ — Que bom — disse ele, — como isso me alegra. Crianças têm medo de fantasmas. Enquanto houver alguém que tenha medo de fantasma ainda há esperança.

Uma dúvida repentina ensombreceu de novo sua voz:

— Ou as crianças de hoje não têm mais medo de ¹⁰⁰ fantasmas?

— Creio que têm — falei.

— Creio?

Ele parecia terrivelmente apreensivo e para tranqüilizá-lo eu disse que tinha certeza.

¹¹⁰ — O senhor sabe: criança é sempre criança.

— Não sei — disse ele, roído pela dúvida. — Não sei Num mundo como esse não será nada de estranhar que amanhã as crianças não sejam mais crianças.

— Não há esse perigo — falei.

¹¹⁵ — Não sei. E quem sabe, quem sabe se já não há nem mais fantasmas no mundo e eu sou o último deles...

— Oh, seguramente que não, que bobagem — falei sem muita convicção. — Ainda há muito fantasma dando sopa⁹ por aí...

¹²⁰ A vela já estava quase no fim e eu bocejava de sono, com vontade de cair na cama outra vez. Depois de certo tempo, como ele não tornasse a falar, levantei-me e disse:

---

9. sobrando

— O senhor repara se eu for dormir? A prosa está boa, mas a viagem foi longa e me cansei.

Ele não respondeu. Esperei mais um pouco, em pé, mas 125 ele não falou. Estava tão transparente que se tornava difícil enxergá-lo. Ia repetir a pergunta, mas ele estava tão imóvel e silencioso que preferi calar-me. Peguei o toco de vela com cuidado para não queimar os dedos e fui subindo a escada. Lá de cima voltei a olhar para baixo: ele 130 havia desaparecido.

LUIZ VILELA

 EXERCÍCIOS

2. O que o homem perguntou ou disse ao fantasma?

HOMEM	FANTASMA
a) _____	Sou, sim. Muito prazer
b) _____	À Lua, não pode ser
c) _____	Obrigado, não fumo. Cigarro dá câncer
d) _____	Estou com medo de vocês homens
e) _____	Não quero mais saber disso não fale mais disso por favor
f) _____	Não posso, eu morreria de medo

3) O que o fantasma perguntou ou disse ao homem:

FANTASMA   HOMEM

a) _____   Absolutamente. Até pelo con-
                        trário: tenho muito prazer em
                        conhecê-lo

b) _____   Sempre falam que descobri-
                        ram. Mas parece que não des-
                        cobriram ainda

c) _____   As bombas que eles fazem to-
                        dos os dias

d) _____   Sim, elas existem

e) _____   Creio que elas têm medo de
                        fantasma

f) _____   Oh, não, que bobagem. Ainda
                        há muito fantasma dando sopa
                        por aí

4) A palavra cabeça pode ser usada em muitas expressões e
sentidos diferentes. Relacione as duas colunas de acordo com
o significado:

a. O fantasma segurou a cabeça na mão
                                1.( ) não é tão difícil de
b. O fazendeiro comprou mui-   resolver
   tas cabeças de gado
                                2.( ) chefe, dirigente, líder
c. A estudante tem cabeça pa-
   ra matemática   3.( ) animal considerado nu-
d. Tiradentes foi o cabeça do   mericamente
   movimento da Inconfidên
   cia Mineira.   4.( ) parte superior do corpo
e. Einstein foi uma das maiores
   cabeças do mundo.   5.( ) as primeiras linhas de
                                      uma relação

28

f. Seu nome está na *cabeça* da lista.

g. O problema não é nenhum bicho de sete *cabeças*.

h. A história não tem pé nem *cabeça*.

i. O industrial não fará loucuras: tem *cabeça*.

6.( ) não tem sentido

7.( ) genialidade, QI elevado

8.( ) inteligência, talento

9.( ) juízo, prudência

5) Passe para o discurso direto:

a) Disse que há anos não saía dali.
   O fantasma disse:
   "Há anos não saio daqui"

b) Ele disse que ficara muito alegre quando me vira chegando.
   O fantasma disse:

_____

c) Ele falou que se esquecera como se assombrava uma pessoa.
   Ele disse:

_____

d) Ele falou que talvez já tivesse virado um fantasma gagá.
   O fantasma falou:

_____

e) Eu falei para ele deixar de besteira, ainda era um fantasma muito bom.
   Eu lhe falei:

_____

6) Ele levou *tanto* susto *que* sua cabeça caiu no chão.

subst.
tanto susto (tanto + subst.)
adj.
tão feliz (tão + adjetivo)

Siga o modelo. Construa frases com as palavras:

a) fantasma/triste/saber sobre o assunto.

_____

b) fantasma/medo/tremer

_____

c) fantasma/desapontado/desapareceu

_____

d) homem/cansado/dormir

_____

RESPOSTAS

1. Resposta pessoal. Sugestão: O mundo progrediu muito, ninguém tem medo de fantasma hoje em dia.

2. a) O senhor é o fantasma decapitado?
b) O senhor já sabe que vão mandar um homem à Lua?
c) O senhor quer um cigarro?
d) Por que o senhor está tremendo?
e) E as guerras?
f) Será que o senhor não podia tornar a pôr a cabeça?

3. a) Você não está com medo de mim?
b) Já descobriram a cura do câncer?
c) Que bombas?
d) As crianças ainda existem?
e) Crianças têm medo de fantasma?
f) Quem sabe se já não há fantasmas no mundo.

4. 1(g), 2(d), 3(b), 4(a), 5(f), 6(h), 7(e), 8(c), 9(i).

5. b) "Fiquei muito alegre quando o vi chegando"
   c) "Eu me esqueci como se assombra uma pessoa"
   d) "Talvez eu já tenha virado um fantasma gagá"
   e) "Deixe de besteira, você ainda é um fantasma muito bom"

6. a) O fantasma ficou tão triste que não quis mais saber so-
      bre o assunto
   b) O fantasma ficou (estava) com tanto medo que começou
      a tremer
   c) O fantasma ficou (estava) tão desapontado que desapareceu
   d) O homem estava tão cansado que foi dormir

O cantor das matas

1. O que você acha? Irapuru é o nome de:

☐ a) um rio
☐ b) um pássaro
☐ c) uma árvore

O cantor das matas

O irapuru é o cantor da floresta amazônica. É um pássaro que tem um canto tão lindo, tão melodioso que os outros pássaros ficam quietos e silenciosos, só para ouvi-lo. O irapuru tem a cor verde-oliva e a cauda avermelhada. Quando começa a cantar, toda a mata parece 5 emudecer para ouvir seus gorjeios maravilhosos.

Por isso, os sertanejos acham que esse pássaro é um ser sobrenatural. Aliás, *irapuru* que dizer *pássaro que não é pássaro*. Depois de morto, seu corpo é considerado um talismã, que dá felicidade a quem o possui. 10

A lenda do irapuru é interessante. Dizem que, no Sul do Brasil, havia uma tribo de índios, cujo cacique era amado por duas moças muito bonitas. Não sabendo qual escolher, o jovem cacique prometeu casar-se com aquela que tivesse melhor pontaria. Aceita a prova as duas 15 índias atiraram as flechas, mas só uma acertou o alvo. Essa casou-se com o chefe da tribo.

A outra, chamada Oribici, chorou tanto que suas lágrimas formaram uma fonte e um córrego. Pediu ela a Tupã que a transformasse num passarinho para poder 20 visitar o cacique, sem ser reconhecida. Tupã fez-lhe a vontade. Mas, verificando que o cacique amava a sua esposa, Oribici resolveu abandonar aqueles lugares. E voou para o Norte do Brasil, indo parar nas matas da Amozônia. 25

Para consolá-la, Tupã deu-lhe um canto melodioso. Por isso, ela vive a cantar para esquecer suas mágoas. E os outros pássaros, quando encontram o irapuru, ficam calados[1], para ouvir suas notas maviosas.

---

1. ficar mudo, ficar em silêncio

30   Um poeta brasileiro exprimiu sua admiração pelo canto do irapuru nestes versos:

O que mais no fenômeno me espanta
É ainda existir um pássaro no mundo
Que fique a escutar quando outro canta!

Lendas e mitos do Brasil

 **EXERCÍCIOS**

2. Descreva o Irapuru e o que ele faz.

_____

_____

_____

_____

_____

3. Dê os opostos:

a) canto *lindo* — canto _____

b) pássaros *silenciosos* — pássaros _____

c) lenda *interessante* — lenda _____

d) uma índia *acertou* o alvo — uma índia _____ o alvo.

e) a índia continuava *afastada* — a india continuava _____

_____

36

4. Passe para a voz ativa e mude o tempo das frases de acordo com as expressões.

a) (antigamente)

> O índio *era amado* por duas índias.
> Duas índias *amavam* o índio.

b) (no próximo ano)

_____

_____

c) (no ano passado)

_____

_____

d) (no momento)

_____

_____

e) (atualmente)

_____

_____

f) (talvez)

_____

_____

5. Substitua pelo pronome:

lhe	o	lhes	as	a	lo

a) Todos querem ouvir *o Irapuru*.

_____

b) A índia aceitou *a prova*.

_____

d) As duas índias atiraram *as flechas*.

_____

e) Uma índia acertou *o alvo*.

_____

f) Tupã deu *para a índia* um canto maravilhoso.

_____

6. Passe para o presente:

a) Prometeu casar-se com aquela que tivesse melhor pontaria.

_____

_____

b) Pediu ela a Tupã que a transformasse num passarinho para poder voar.

_____

_____

RESPOSTAS

1. b)

2. O Irapuru tem a cor verde-oliva e a cauda avermelhada. Seu canto é tão lindo que os outros pássaros ficam quietos só para ouvi-lo.

3. a) feio, b) barulhentos, c) sem interesse, d) errou, e) próxi-
ma, perto.

4. b) no próximo ano
O índio *será amado* por duas índias.
Duas índias *amarão* o índio.

c) no ano passado
O índio *foi amado* por duas índias.
Duas índias amaram o índio.

d) no momento
O índio *está sendo amado* por duas índias
Duas índias *estão amando* o índio.

e) atualmente
O índio é *amado* por duas índias
Duas índias *amam* o índio.

f) talvez
O índio *seja amado* por duas índias.
Duas índias *amem* o índio.

5. b) a, c) lhes, d) as, e) o, f) lhe.

6. a) Promete casar-se com aquela que tiver melhor pontaria.
b) Pede ela a Tupã que a transforme num passarinho para
poder voar.

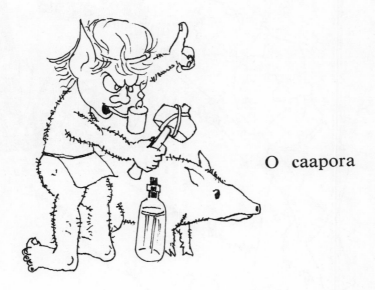

O caapora

Talvez você já tenha ouvido falar do saci-pererê, do bicho-papão, da mula-sem-cabeça e também do lobisomem. Além dessas personagens tão famosas existe também

O caapora

Morava Domingos não-sei-de-quê (o sobrenome não importa) perto de boas matas e boa caça.

Domingos gostava de caçar, e as matas começavam, a bem dizer, no fundo do quintal dele. Era só dar uma voltinha e entrar nelas: matas fechadas, sombrias, com árvores se embaraçando umas nas outras. Verde folhoso, enramado, copado. E a estradinha — carreiro[1] de caça e de caçador. Lá adiante ficava a lagoa: o brejo espetado de garças pardas.

Deus ajuda quem cedo madruga.

Domingos ia andando com os seus petrechos de caça: a espingarda num ombro, pendendo da alça; no outro ombro, a capanga[2] de munição pendurada.

Quando deu fé, eis que viu, no meio da clareira, uma coisa que nunca vira antes nem de que nunca ouvira falar.

Estava diante dele um veado branco.

Todo branco.

De outra cor só os chifres; coroa cinza-chumbo esgalhada[3], mais parecendo uma arvorezinha plantada na cabeça. Só que sem folhas.

Enquanto o Diabo esfrega o olho, Domingos fez pontaria e atirou: pum!

O veado branco pulou de banda e falou assim:

— Domingos, Domingos: se esse tiro me pega, que seria de nós dois aqui agora?

Veado branco já era de espantar. O pior era que o bicho falava: como gente, na língua de gente.

---

1. caminho estreito
2. bolsa pequena
3. com galhos

Domingos saiu correndo, mas tropeçou e caiu. Olhou para trás: no lugar onde estava o veado só havia agora 30 uma arvorezinha seca.

Que teria acontecido?

Era claro: o veado desaparecera no chão e só deixara de fora os chifres. Isto foi o que Domingos pensou. Mas antes que pensasse outra coisa, outra coisa ele viu.

35 E eis o que foi: um diabinho cabeçudo, disfarçado em gente. De roupa de vestir, só e só uma tanga. O olho em brasa. Saltou de cima de uma árvore e veio andando, pitando[4] o cachimbo.

Era o Caapora.

40 Diabinho encantado das matas, de que tudo quanto era gente falava, e muito caçador jurava — por Deus, Nosso Senhor — já ter visto.

Agora chegara a vez de Domingos ver.

Não era preciso perguntar. Fora arte do Caapora: 45 arte do diabinho arteiro.

— Domingos, Domingos: hoje é dia de caçar? — perguntou o Caapora.

A voz era a mesma do veado branco. *Tal e qual*[5]: era!

50 Domingos respondeu:

— Por que sou perguntado?

— Porque hoje é sexta-feira

Oi, que cabeça a minha! Me esqueci do dia grande!

Aí o Caapora tornou a perguntar:

55 — Você não tem almanaque em casa?

— Tenho — respondeu Domingos. — Quer dizer: minha mulher tem um.

— E o almanaque de sua mulher não tem calendário?

---

4. fumando, chupando
5. idêntica

— Tem. Com os dias do ano e as fases da lua. Mas eu não sei ler. ⁶⁰

— Não aceito a desculpa — disse o Caapora. — Ontem não foi quinta?

— Foi. Foi quinta.

— Então, hoje é sexta. E sexta, Domingos, não é dia de caçar. Você sabe disto. ⁶⁵

— Não desrespeitei por querer.

— Se não foi por querer, foi por não querer. Dá no mesmo: desrespeitou. E vai ser castigado: o veado branco vai vazar⁶ o seu olho esquerdo com o chifre.

— Mas o veado brando sumiu... ⁷⁰

O Caapora deu uma risadinha:

— Basta eu assobiar que ele aparece de novo. Um assobio só. Quer ver?

— Espere um pouco, espere um pouco — disse Domingos. ⁷⁵

Ora, Domingos não tinha nada de tolo. Se era a primeira vez que via o Caapora, estava farto de saber, por ouvir dizer e contar, como é que *se lida*⁷ com ele. Correr, não adiantava: o Caapora está sempre na frente da gente, saindo de onde menos se espera. Conhece palmo ⁸⁰ a palmo a mata: cada galho, cada tronco, cada moita. Mas tem os seus fracos. E Domingos, como bom caçador sabia deles.

Tirou da capanga a garrafa de cachaça:

— Quer tomar um gole? ⁸⁵

O Caapora deu dois pulinhos de contentamento:

— Passe a garrafa! Passe a garrafa!

— Vamos primeiro fazer um trato — disse Domingos — Você fica com a garrafa, mas me deixa ir embora em paz. Combinado? ⁹⁰

---

6. furar, tirar
7. se trata

O Caapora vacilou:

— E o fumo pro meu cachimbo?

Domingos tirou da capanga um pedaço de fumo e a cachaça; e Domingos voltou em paz para casa.

95 O Caapora não foi para a dele, porque nela já estava: casa de caapora é a mata. Tomou a cachaça todinha, mas ficou firme: diabinho bom de pinga! Encheu de fumo o cachimbo, tirou um galhinho de *japecanga*[8], pra servir de chicote, montou num porco-do-mato e sumiu

100 atrás de um moita: bebido, montado, pitando.

HERBERTO SALES, — *O lobisomen e outros contos folclóricos*

---

8. tipo de árvore

 **EXERCÍCIOS**

1. Complete o quadro de acordo com a qualidade das personagens no texto:

nada tolo / analfabeto / de espantar / grande conhecedor
das matas / tem seus fracos / assustado / rápido / bebe
muito / zangado / arteiro / gosta de caçar / bicho que fala
como gente /.

Caapora	Veado branco	Domingos

2. Descreva:

a) veado _____

_____

_____

_____

b) Caapora

_____

_____

_____

_____

_____

_____

_____

3. Palavras cruzadas. Procure no texto

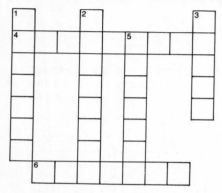

Horizontais

4. Publicação com calendário completo e matéria recreativa, científica, literária e informativa.
6. Personagem protetor dos animais da floresta.

Verticais

1. bolsa, sacola pequena
2. mulher que caça
3. mamífero com chifre em forma de galho.
5. som agudo produzido pelo ar comprimido entre os lábios.

4. Relacione as duas colunas

a) O veado branco *pulou de banda*.
b) *Dá no mesmo*: desrespeitou
c) *Enquanto o diabo esfrega os olhos*: Domingos fez pontaria e atirou
d) O diabinho tinha *o olho em brasa*
e) Diabinho *bom de pinga*
f) Quando *deu fé*, viu no meio da clareira um veado branco

1. ( ) que gosta de beber
2. ( ) percebeu, prestou atenção
3. ( ) os olhos vermelhos
4. ( ) saltou de lado
5. ( ) depressa, muito rápido
6. ( ) é a mesma coisa

5. Se necessário use o dicionário e encontre dois sinônimos para cada palavra:

alegria / utensílio / lugar úmido / provisão / pântamo / caminho / via / objetos necessários / cartucho / felicidade

contentamento	brejo	petrecho	munição	estrada

RESPOSTAS

1. Caapora — grande conhecedor das matas, tem seus fracos, rápido, bebe muito, zangado, arteiro.

   Veado branco — de espantar, bicho que fala como gente
   Domingos — nada tolo, assustado, gosta de caçar

2. a) Veado branco, chifres de coroa cinza-chumbo esgalhada, parecia uma arvorezinha plantada na cabeça. Só que sem folhas.
   b) Caapora — diabinho cabeçudo, disfarçado em gente, vestia só uma tanga. O olho em brasa.

3.

¹C		²C						³V
⁴A	L	M	A	N	⁵A	Q	U	E
P		Ç		S				A
A		A		S				D
N		D		O				O
G		O		V				
A		R		I				
	⁶C	A	A	P	O	R	A	

4. 1(e), 2(f), 3(d), 4(a), 5(c), 6(b)

5. contentamento — alegria, felicidade
brejo — lugar úmido, pântano
petrecho — utensílio, objetos necessários
munição — provisão, cartucho
estrada — caminho, via

50

6

O poder da caipora

6

O folclore brasileiro é repleto de personagens interessantes, o caipora é um deles.

1. Leia o texto:

   O caipora

   ☐ protege os animais contra os caçadores ilegais.
   ☐ protege os caçadores contra os animais da selva.
   ☐ protege os homens contra as mulheres.

O poder da caipora

Caipora ou *caapora* é o gênio protetor dos animais da floresta. Seu poder não se estende aos animais de pena. Limita-se aos bichos de couro e chifres: porcos, veados, cutias, pacas, tatus, tamanduás... No Norte e no Nordeste o gênio é do sexo feminino e aparece sob a forma de uma índia pequena e forte, doida por fumo e aguardente. Em outras regiões do Brasil, é um caboclo baixo e reforçado, coberto de pêlos, que surge montado num porco-do-mato ou caititu. No Sul, o caipora é um homem peludo e agigantado.[1] O caipora ou caapora toma ainda outras formas...

Sua missão é, porém, sempre a mesma: proteger a caça da sanha[2] dos caçadores malvados.[3] Quem mata animais com crueldade ou persegue fêmeas com filhotes é logo castigado pelo caipora. Nas sextas-feiras, mesmo com luar, é proibida a caça. Nos dias santos e domingos não se pode também caçar.

Quando os homens infringem as leis da caipora, ela espanta a caça, surra os cachorros, faz um barulho infernal e persegue, furiosamente, os caçadores, que largam as armas e fogem, espavoridos. Mas os que respeitam o caipora e levam-lhe fumo e aguardente, podem caçar à vontade. Não devem, porém, atirar em um animal com filhote, nem em bicho isolado ou no último do bando.

Os caçadores que não entram em combinação com a caipora nada conseguem. Perdem o seu tempo e o seu chumbo, pois os animais que caem varados pelas balas,

---

1. grande
2. fúria, rancor
3, maus

mesmo os mortos, se levantam, ressuscitados, ao contacto
35 do focinho do porco, no qual se acha montada a caipora. Para alguns sertanejos, a caipora é alma de índio bravo
que morreu pagão.

Contam-se muitas histórias a respeito do poder mágico da caipora. Vejamos uma delas, citada por Câmara
40 Cascudo:

"Depois de uma caçada feliz, no município de Au-
gusto Severo, no Rio Grande do Norte, acamparam os
caçadores, noitinha, para arranjar o jantar. Entre outras
peças escolhidas, prepararam um tatu, que se come as-
45 sado no próprio casco. Puseram o tatu, sem intestinos,
atravessado por uma vareta de espingarda, em cima do
fogo. E cada um contava e ouvia episódios do dia. De
repente, montando um "queixada", passou, pelo meio
dos homens, a caipora. Na mesma velocidade com que
50 ia, disse, peremptória: vambóra, Júão (Vamos embora,
João). E João, o tatu, meio assado e sem víscera, acom-
panhou-a, como um relâmpago."

Lendas e mitos do Brasil

PORCO

CAPIVARA

TAPITI

PACA

TAMANDUÁ

TATU

SERELEPE

VEADO

 **EXERCÍCIOS**

2. Procure as características do caipora nas diferentes regiões do Brasil

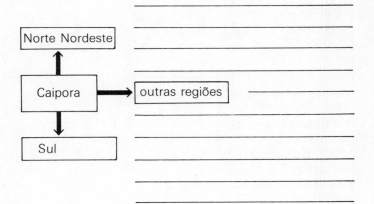

_____

_____

_____

_____

_____

_____

_____

3. Escreva um parágrafo com as seguintes palavras:
Caipora / missão / proteger / castigado / fumo e aguardente / caçadores / proibida / caça / homens / infringem / lei / espanta /

_____

_____

_____

_____

_____

_____

_____

_____

4. Procure os animais no texto e escreva-os corretamente:

5. Siga o modelo:

> *"Contam-se* muitas histórias do poder da caipora"
> Muitas histórias *são contadas...*

a) *Caçam-se* muitos animais na floresta

_____

b) *Seguem-se* as leis da caipora

_____

c) *Protege-se* a caça dos caçadores malvados

_____

d) *Respeita-se* a caipora

_____

e) *Prepara-se* um tatu

_____

 RESPOSTAS

1. ⊠ protege os animais contra os caçadores ilegais.

2. Norte, Nordeste: Caipora é do sexo feminino e aparece sob a forma de uma índia pequena e forte, doida por fumo e aguardente.

  — Outras regiões: Caipora é um caboclo baixo e reforçado, coberto de pêlos, que surge montado num porco-do-mato.

  — Sul: Caipora é um homem peludo e agigantado

3. Caipora é um ser da floresta que gosta muito de fumo e aguardente, sua missão é proteger os animais. Quando os homens infringem as leis ou fazem alguma coisa proibida pela Caipora, ela espanta a caça e os caçadores malvados são castigados.

4. a) porco, b) veado, c) tatu, d) tamanduá

5. a) Muitos animais são caçados na floresta
  b) As leis do caipora são seguidas
  c) A caça é protegida dos caçadores malvados
  d) A caipora é respeitada
  e) Um tatu é preparado

Aritakê

7

Aritakê

Era um paletó de listras vivas, estendido com outras roupas numa corda. Aritakê passou, viu o paletó, achou bonito. Olhou a camisa do corpo, rasgada, sem cor: decidiu-se. Ninguém viu Aritakê apanhar o paletó, mas muitos o viram andar pelas ruas com ele, parando de vez em quando para levantar uma aba até a altura dos olhos (não podia baixar a cabeça por causa da vasilha de água).

O dono do paletó, homem correto e respeitador das leis, fez o que achou que devia fazer, levou o caso ao delegado; mas fez questão de explicar que não era pelo valor da peça, era pelo princípio; o paletó ele nem queria mais, não ia vestir roupa que andou em corpo de índio.

Achando que o assunto era de importância secundária o delegado entregou-o ao cabo do destacamento e partiu num caminhão cheio de cachorros para uma caçada que ia durar dias. O cabo gostou, havia muito tempo que não funcionava como autoridade.

Aritakê enchia um pote no chafariz quando o cabo chegou com dois soldados armados de sabre[1], chegou e deu ordem para agarrar e algemar. Aritakê deve ter pensado que eles o estavam presenteando com alguma coisa, ficou olhando as duas pulseiras niqueladas e sorrindo. Mas quando os soldados o puseram para diante a empurrões, aí não entendeu e apontou o pote com as duas mãos. O cabo, homem experiente, não ia se atrapalhar; resolveu o problema quebrando o pote com uma botinada, a água se espalhando entre os cacos pela laje do chafariz.

_____

1. faca

30   De empurrão em empurrão, o cabo atrás com os po-
legares no cinto explicando aos curiosos o motivo da prisão, Aritakê foi jogado no calabouço, lugar reservado
a presos perigosos. A porta foi fechada com a chave enor-
me, Aritakê ficou no escuro.

35   Afora[2] os empurrões, que ele não entendeu, parece
que Aritakê não se importou com a prisão. Sentado no
parapeito da janela, atrás dos barrotes de quase um palmo de largura reforçados com chapas de ferro, ele passava o tempo entretido em olhar as listras do paletó, prova
40 do pouco caso que fazia da justiça.

     Lá um dia o queixoso[3] procurou o delegado para sa-
ber em que pé andava o processo, o delegado disse que
não andava em pé nenhum, processo de índio é compli-
cado, segue legislação especial, ele não ia mexer em casa
45 de marimbondo por um assunto tão trivial; bastava o cri-
minoso gramar[4] uns tempos na cadeia para deixar o ví-
cio; depois, as famílias todas estavam pedindo a liberdade de Aritakê, precisavam muito dele para baldeação de
água.

50   Os dias passavam iguais e sem sentido mesmo para
um índio, a comida chegando com atraso porque os meninos escalados para levá-la não tinham pressa, o soldado que a recebia também não ia interromper a história
que estivesse contando ou ouvindo, e Aritakê curtindo[5]
55 fome calado. De tempos em tempos um soldado chegava com uma lata d'água e despejava no pote por cima
do lodo antigo. Aos domingos os soldados levavam os
presos para despejarem o barril dos detritos e tomarem
banho se quisessem. O povo ficava olhando de longe,
60 quem estivesse na janela se retirava por causa do mau

-----

2. a não ser
3. reclamante
4. gíria — sofrer
5. gíria — passando fome

62

cheiro, ninguém aproveitava a ocasião para dar aos presos um pedaço de fumo, uma peça de roupa, dinheiro: achavam que preso tem de tudo na cadeia.

Uma tarde de festa — procissão, foguetes, banda de música — os soldados se descuidaram na vigilância. Aritakê notou a porta do calabouço mal fechada, subiu os degraus de pedra como quem não quer nada, empurrou a porta e foi saindo. Os soldados estavam discutindo sobre armas de fogo em uma sala, do corredor se ouvia a conversa.

Aritakê não levou nada, não tinha o que levar, nem sabia para onde ia. Desceu o largo, parou um pouco na porta da igreja, não se interessou pela barulheira, continuou andando, passou a ponte e foi acompanhando o rio. Já na estrada, passada a máquina de arroz e a cerca do matadouro, ouviu tropel[6] e gritos atrás.

— Pega o preso! Vai fugindo!

Aritakê olhou para trás, viu os soldados, entendeu que era com ele. O jeito agora era correr.

— Pega! É preso fugido! Pega!

Sentado na porta de sua casinhola com uma criança nos braços um homem ouviu o apelo. Depressa ele entregou a criança a alguém lá dentro e tentou cercar o fugitivo. Aritakê quebrou cangalha fácil e passou.

— Pega! Não deixa fugir!

Tranqüilamente o homem levou a mão à cintura, puxou uma arma, atirou.

No baque do tiro Aritakê perdeu o passo, focinhou[7] de lado e caiu de ombro na beira da estrada, uma perna adiante da outra ainda na posição de correr.

6. ruído da multidão andando
7. Virou o nariz para o lado

95   Os soldados já vinham chegando, elogiaram a pontaria.

— Vai atirar bem assim na praia — disse um.

O homem e os soldados foram ver o efeito da bala, o homem ainda com a arma na mão — a queda podia 100 ser truque de índio treteiro.

Um soldado virou o cadáver com o pé. A bala tinha entrado nas costas e saído no peito.

— Conheceu, tapuio safado[8]! — disse o soldado.

O outro estava interessado era na arma.

105   — É ximite, não é? Dá licença? — examinou e completou, entendido: — Logo vi. Bicho que não faz vergonha. Quer negociar?[9]

JOSÉ J. VEIGA, — "Domingo de Festa". In: *A Máquina Extraviada.*

---

8. Índio sem vergonha
9. quer fazer um negócio, quer vender

EXERCÍCIOS

1. Leia o conto e relacione:

 | *Conseqüência*

Causa

a) Aritakê só tem uma camisa velha rasgada

b) O delegado não se interessa pelo caso

c) Boa pontaria do homem

d) Falta de pressa dos meninos e desinteresse dos soldados

e) Calabouço mal fechado

f) Mau cheiro

Conseqüência

1) atraso da comida

2) fuga de Aritakê

3) nojo na população

4) Aritakê pega o paletó

5) O cabo de destacamento é o substituto

6) morte de Aritakê

2. Escreva sobre as seguintes áreas

a) camisa rasgada
   índio
   paletó na corda

b) homem do paletó
   delegado
   cabo de destacamento

c) prisão
population
fome
soldados

_____
_____
_____
_____
_____

d) homem com arma
fuga
morte
soldados

_____
_____
_____
_____
_____

_____
_____

3. Substitua as palavras grifadas por sinônimos do texto:

a) Ninguém viu Aritakê *pegar* o paletó

_____

b) Aritakê foi jogado na *prisão*

_____

c) Ele passava o tempo *distraído* em olhar as listras.

_____

d) O queixoso quis saber em que *ponto* estava o processo.

_____

e) Aritakê *driblou* fácil e passou.

_____

4. Siga o modelo

> Quem estivesse na janela se retirava *porque* tinha mau cheiro.
> Quem estivesse na janela se retirava *por causa* do mau cheiro.

a) Aritakê foi preso *porque* roubou um paletó.

_____

_____

b) O delegado não cuidou do caso *porque foi a uma caçada*.

_____

_____

c) Aritakê ficou nervoso *porque o soldado o empurrou*

_____

_____

d) O homem atirou *porque os soldados gritaram*

_____

e) Aritakê caiu *porque o homem atirou nele*

_____

5. Complete com uma das seguintes, conjunções:
   porque, embora, se, para que, quando, como

a) O cabo deu ordem _____ amarrassem Aritakê.

b) _____ quisessem os presos tomariam banho.

c) Aritakê foi preso _____ roubou um paletó.

d) _____ não tivesse tanta culpa, o índio foi morto pelo homem.

e) Aritakê era inocente _____ uma criança.

f) Aritakê enchia o pote _____ o cabo chego

RESPOSTAS

1. b)5, c)6, d)1, e)2, f)3

2. a) A camisa do índio Aritakê estava rasgada, por isso ele decidiu pegar o paletó que estava pendurado na corda.

   b) O dono do paletó, homem muito correto, levou o caso ao delegado; este, achando o assunto de importância secundária, entregou-o ao cabo de destacamento.

   c) Aritakê, quando enchia um pote na fonte, foi levado para a prisão pelos soldados. Lá ficou esquecido, sem que decidissem seu caso. A população pedia sua liberdade porque precisavam dele para a baldeação de água.

   b) A fuga de Aritakê aconteceu quando os soldados se descuidaram da vigilância. Um homem, sentado na frente de sua casa, viu a perseguição ao índio, puxou a arma da cintura e causou sua morte.

3. a) apanhar
   b) calabouço
   c) entretido
   d) em que pé
   e) quebrou cangalha

4. a)... por causa do roubo de um paletó
   b)... por causa de uma caçada
   c)... por causa do empurrão do soldado
   d)... por causa dos gritos dos soldados
   e)... por causa do tiro

5. a) para que, b) Se, c) porque, d) embora, e) como,
      f) quando.

Biografias

Dinah Silveira de Queiroz

era paulista, descendente do bandeirante Carlos Pedroso da Silveira.

Educou-se no Colégio Des Oiseaux em São Paulo.

Floradas da Serra, romance publicado em 1939, foi seu primeiro livro. Tornou-se best-seller, foi levado ao cinema e ao teatro.

Em 1941 segue o volume de contos *A sereia verde*. Uma das histórias, "Pecado", obtém o prêmio de melhor conto latino-americano, escolhido entre cento e cinqüenta trabalhos de ficção. Tinha sido escrito num domingo vazio, antes que sua autora tivesse a idéia de "vir a ser uma escritora", isto é, em tempo anterior a *Floradas da Serra*.

Ao romance voltou em 1949, quando publicou *Margarida La Rocque*. Seguiu, primeiramente em capítulos duma revista, o romance *A muralha*, com que pretendia homenagear a terra onde nasceu. Foi outro best-seller e por três vezes objeto de adaptação na TV e no rádio.

A muralha fez carreira também no vídeo, e foi traduzida para o japonês.

Em 1960 lançou um volume de histórias de ficção científica. A ficção científica no Brasil, teve em Dinah Silveira de Queiroz uma pioneira.

Em 1965 lançou *Os invasores* — romance comemorativo do IV centenário da fundação do Rio de Janeiro.

Uma nova autora surge em *Verão dos infiéis*. Usando a técnica do "nouveau roman", durante três dias Dinah Silveira de Queiroz segue suas personagens postas num clima emocional e numa atmosfera de intensa dramaticidade.

Dinah Silveira de Queiroz esteve na Rússia por quase dois anos e foi adida cultural em Madrid; em Roma escreveu grande parte do livro *Verão dos infiéis*.

Suas crônicas da Rádio Nacional, da Rádio Ministério da Educação e do Jornal do Comércio, jamais interrompidas, ainda quando em viagem ao exterior, foram recolhidas em seleções, tais como *Quadrante I*, *Quadrante II*, e, em 1969 apareceu nova coletânea intitulada *Café da manhã*.

Sobrinha de Valdomiro Silveira, um dos fundadores de literatura regional brasileira e de Agenor Silveira, poeta e filólogo; irmã de Helena Silveira, contista, cronista e romancista, e do Embaixador Alarico Silveira Junior; prima do contista e teatrólogo Miroel Silveira, da novelista Isa Silveira Leal, do poeta Cid Silveira, do tradutor Breno Silveira e do editor Ênio Silveira — a escritora realmente pertenceu a uma das famílias brasileiras mais votadas às letras.

Dinah Silveira de Queiroz faleceu em São Paulo, em 1982. Seus livros e contos foram traduzidos e publicados em: Argentina, Bangladesh, Canadá, Coréia do Sul, Espanha, Estados Unidos, França, Inglaterra, Israel, Itália, Japão, Noruega, Paquistão, Peru, Portugal e Venezuela.

Dinah Silveira de Queiroz fez parte das:
Academia Brasileira de Letras (efetivo).
Academia Brasiliense de Letras (efetivo).
Academia Paulista de Letras (correspondente).
Academia Espírito-Santense de Letras (correspondente).
Academia Carioca de Letras (correspondente).

Luís Fernando Veríssimo

Nasceu em 1936, filho de Mafalda e Érico Veríssimo. Quando em 1943/46 Érico Veríssimo foi convidado para lecionar na Universidade de Berkeley, Califórnia, Estados Unidos, a família foi junto. Em 1954 (Érico Veríssimo exerce a presidência do Depto. de Assuntos Culturais da União Pan-Americana) Luís Fernando Veríssimo viaja novamente para os Estados Unidos. Inicia seus estudos de música (saxofone) e conclui o curso secundário.

Em 1956 volta ao Brasil e começa a trabalhar na Editora Globo; em 1959 organiza "o maior sexteto do mundo", pois tinha nove elementos.

Em 1962 se muda para o Rio de Janeiro, onde trabalha como tradutor, secretário, redator de publicações comerciais... "Nada do que fiz até começar a escrever deu certo. Talvez a vocação estivesse lá o tempo todo, só esperando a hora de aparecer".

Em 1966, casado e com uma filha, fixa residência em Porto Alegre.

"Em Porto Alegre, tenho a sensação de alguma coisa sólida sob os pés."

Lá começa a trabalhar como copy-desk no jornal "Zero Hora", depois como redator de publicidade na MPM Propaganda (em 1970 conquista o 1.º lugar do 1.º Salão Gaúcho de Arte Publicitária). A partir de 1969 publica suas crônicas no "Zero Hora", depois na "Folha da Manhã" e novamente no "Zero Hora", onde se firma como cronista.

A partir de 1973 reúne sua crônica em livros que recebem, desde sua publicação, as melhores resenhas nos maiores e mais prestigiosos jornais e revistas do País.

Luís Fernando Veríssimo se consagra definitivamente como cronista e escritor com "O analista de Bagé", livro lançado em outubro de 1981, e que vendeu mais de 30.000 exemplares nesse mesmo ano. Esta obra se manteve em todas as listas dos livros mais vendidos por mais de dois anos.

De 1982 a 1989 assina a página de humor da revista "Veja" e a partir desta data tem uma página semanal do "O Estado de São Paulo". Nos anos 80 "A velhinha de Taubaté" de Luís Fernando Veríssimo se transformou em personagem símbolo desses anos, de tal forma que era difícil acreditar que "A velhinha de Taubaté" era criação individual e não folclore, lenda, anedota do (in)consciente coletivo como os contos de fadas.

Luiz Vilela

Luiz Vilela tem 45 anos. Nasceu em Ituiutaba, Minas Gerais. É formado em Filosofia. Começou a escrever aos treze anos, publicando contos nos jornais de sua cidade. Na década de 60, em Belo Horizonte, criou, com outros jovens escritores, uma revista de contos, *Estória*, e um jornal literário de vanguarda, *Texto*.

Aos vinte e quatro anos, depois de recusado por vários editores, publicou às próprias custas seu primeiro livro, de contos, *Tremor de Terra*, e com ele ganhou a seguir, em Brasília, o Prêmio Nacional de Ficção, concorrendo com 250 escritores, entre os quais diversas celebridades da literatura brasileira.

Vilela ganhou ainda outros prêmios, no Concurso Nacional de Contos, do Paraná, e o Prêmio Jabuti, da Câmara Brasileira do Livro. Em 1968 foi para os Estados Unidos, convidado pelo "International Writing Program", lá ficando nove meses. Depois viajou pela Europa, percorrendo vários países e morando durante algum tempo na Espanha.

Seus contos figuram em inúmeras antologias nacionais e estrangeiras, e já foram traduzidos para o alemão, o inglês, o espanhol, o italiano, o polonês, o holandês e o tcheco.

Pai de um filho de seis anos, Luiz Vilela reside hoje de novo em sua cidade natal, perto da qual tem um sítio, dedicando-se inteiramente a escrever.

Os livros de Luiz Vilela são os seguintes: *Tremor de terra* (contos), *No bar* (contos), *Tarde da noite* (contos), *Os novos* (romance), *O fim de tudo* (contos), *Lindas pernas* (contos), *O inferno é aqui mesmo* (romance), *O choro no travesseiro* (novela), *entre amigos* (romance), e *Graça* (romance). Há ainda quatro antologias de seus contos: *Contos escolhidos, Uma seleção de contos, contos,* e *Os melhores contos de Luiz Vilela.*

Herberto Sales

Herberto (de Azevedo) Sales nasceu em Andaraí, Bahia, em 21 de setembro de 1917. Filho de Heráclito Souza Sales e de Aurora de Azevedo Sales. Sua infância foi marcada pelo ambiente de violência e aventura dos garimpos de diamantes, atividade de que vivia toda a população de sua terra natal. Esse ambiente ele iria transportar mais tarde para o seu primeiro romance, *Cascalho*, publicado em 1944. O livro teve grande repercussão no país e projetou o seu nome nos meios literários, vindo a tornar-se um clássico da literatura comtemporânea brasileira. Trouxe-lhe, porém, muitos contratempos em sua cidade natal, onde várias pessoas se consideraram retratadas no livro. Ameaçado de morte, mudou-se para o Rio de Janeiro, dedicando-se a atividades jornalísticas na própria empresa editora do seu romance, que também editava a revista *O Cruzeiro*, então a maior do país. O seu romance *Cascalho*, que ele reeditou em 1948, depois de reescrevê-lo e dar-lhe forma definitiva, vem alcançando notável repercussão no exterior, tendo sido já traduzido para o tcheco, romeno, italiano, polonês, russo, coreano, japonês e espanhol, com tradução francesa atualmente em preparação.

O seu segundo romance, *Além dos marimbus*, retrata o drama dos exploradores de madeiras na sua região natal, quando os garimpos de diamantes pareciam esgotados. Com esse romance ganhou o Prêmio Coelho Neto, da Academia Brasileira de Letras, e o Prêmio Paulo Brito, da Biblioteca Municipal do Rio de Janeiro. Depois de longo silêncio, voltou ao romance, tendo então publicado os seguintes volumes: *Dados biográficos do fi-*

nado Marcelino, por muitos considerado a sua obra-prima; *O fruto do vosso ventre* (Prêmio Jabuti), com traduções para o japonês, inglês, sueco e espanhol; *Einstein, o Minigênio*; *Os pareceres do tempo* (traduzido para o francês); *A porta de chifre*, e *Na selva da tua lembrança* que também acaba de sair em Portugal.

A sua obra de contista compreende os seguintes livros: *Histórias ordinárias* (Prêmio do Pen Club do Brasil); *Uma telha de menos*; *O lobisomem e outros contos folclóricos* (traduzido para o japonês e o inglês); e *Armado cavaleiro o audaz motoqueiro*. Contos seus estão incluídos em várias antologias nacionais e estrangeiras, estas últimas publicadas em traduções para o italiano, alemão, japonês, polonês e búlgaro. No exterior, foram ainda publicadas duas seleções de contos seus, uma em Portugal (*Os pequenos afluentes*), e outra no Peru (*La manita negra y otros cuentos*).

Autor, também, de literatura para crianças, além do "best seller" *O sobradinho dos pardais* (já em 30.ª edição, com mais de 500 mil exemplares vendidos e tradução para o japonês),publicou os seguintes livros: *A volta dos pardais do sobradinho; A vaquinha sabida, A feiticeira da salina; O casamento da raposa com a galinha; O burrinho que queria ser gente* (traduzido para o búlgaro) e também, para o público juvenil, o volume *O menino perdido*. Além de trabalhos em outros gêneros, por ele considerados de circunstância, publicou o volume de memórias e confissões *Subsidiário*, cujo êxito levou-o a escrever um segundo volume, a aparecer brevemente.

É membro da Academia Brasileira de Letras, da Academia de Literatura Infantil e Juvenil (São Paulo) e da Academia Brasiliense de Letras.

José J. Veiga

JOSÉ J. VEIGA nasceu em 2 de fevereiro de 1915 numa pequena propriedade agrícola entre os municípios de Corumbá e Pirenópolis, no Brasil Central (Estado de Goiaz). Estudou nas escolas públicas dessas duas cidades até aos 12 anos de idade, quando se mudou para a antiga capital do Estado (hoje Cidade de Goiaz), onde fez o curso secundário.

Aos 20 anos transferiu-se para o Rio de Janeiro e trabalhou no comércio, no rádio, no serviço público e na imprensa, e fez o curso de direito.

Entre princípios de 1945 e fins de 1949 viveu na Inglaterra como radialista e jornalista. De volta ao Brasil, trabalhou novamente na imprensa do Rio de Janeiro (n*O Globo*, *Tribuna da Imprensa* e *Seleções do Reader's Digest*).

Iniciou sua carreira de escritor em 1958, publicando contos no Suplemento Dominical do *Jornal do Brasil*. Seu primeiro livro (contos), *Os Cavalinhos de Platiplanto*, foi publicado em 1959 e ganhou o Prêmio Fabio Prado no mesmo ano.

Tem livros traduzidos nos Estados Unidos, Inglaterra, México, Espanha, Suécia, Noruega, Dinamarca, Tchecoslováquia, Iugoslávia e União Soviética.

Referências bibliográficas

QUEIROZ, Dinah S. de. "O homem que se evadiu". In: *Quadrante*, 4ª ed., Ed. da autora, 1968.

SALES, Herberto. "O caapora". In: *O lobisomem e outros contos folclóricos*, 5ª ed., Rio de Janeiro, Ed. Civilização Brasileira.

SANTOS, Theobaldo Miranda. "O cantor das matas". In: *Lendas e Mitos do Brasil*, 9ª ed., São Paulo Cia. Ed. Nacional, 1985.

_____. "O poder do caipora". In: *Lendas e Mitos do Brasil*, 9ª ed., São Paulo Cia. Ed. Nacional, 1985.

VEIGA, José J. "Aritakê". In: *Domingo de Festa*: A máquina extraviada, 3ª ed., Rio de Janeiro, Ed. Civilização Brasileira, 1976.

VERÍSSIMO, Luís Fernando. "O mágico". In: *Sexo na cabeça*, 1ª ed., Porto Alegre, LPM Editores.

VILELA, Luiz. "O fantasma". In: *Tremor de terra*, 4ª ed., São Paulo, Ática, 1977.

Anotações

Anotações

Anotações

Anotações

Anotações

Anotações

Impresso nas oficinas da
EDITORA PARMA LTDA.
Telefone: (011) 912-7822
Av. Antonio Bardella, 280
Guarulhos - São Paulo - Brasil
Com filmes fornecidos pelo editor